© Éditions du Seuil, 2015
25, bd Romain-Rolland, 75014 Paris
ISBN : 979-10-235-0616-7
Dépôt légal : octobre 2015 – Tirage n° 1
Loi 49-956 du 16 juillet 1949 sur les publications destinées à la jeunesse.
Tous droits de reproduction réservés.
Photogravure : Quadrilaser
Achevé d'imprimer en septembre 2015 sur les presses de l'imprimerie Pollina à Luçon - L73300.
www.seuiljeunesse.com

André Bouchard

L'après-midi d'une fée

SEUiL jEUnESSE

– Regarde, Hortense ! C'est mon nouveau costume de fée !

– Oh, comme il est beau, Margot, il brille de partout !

– Je l'ai eu pour ma fête ! On joue ? On aurait dit

que je suis la plus fortiche de toutes les fées

et que je peux tout transformer en n'importe quoi !

– D'accord ! Hi, hi !

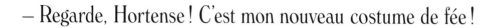

– Regarde bien cette chaise de jardin !

Je vais la transformer en citrouille !... Abracadabra !

– Hi, hi !

– Hortense, regarde la chaise ! Elle s'est transformée en citrouille !

– C'est incroyable !

– Tu sais quoi ? Ma baguette, elle est VRAIMENT magique !

– Hi, hi !

– Dis donc, Margot, elle a une drôle d'allure, cette citrouille...

– ... Et elle n'a pas l'air commode...

– Aïe, aïe ! Utilise ta baguette, Margot ! Vite !

– Citrouille de malheur, par les pouvoirs de ma baguette magique,

je te transforme en carrosse ! Abracadabra !...

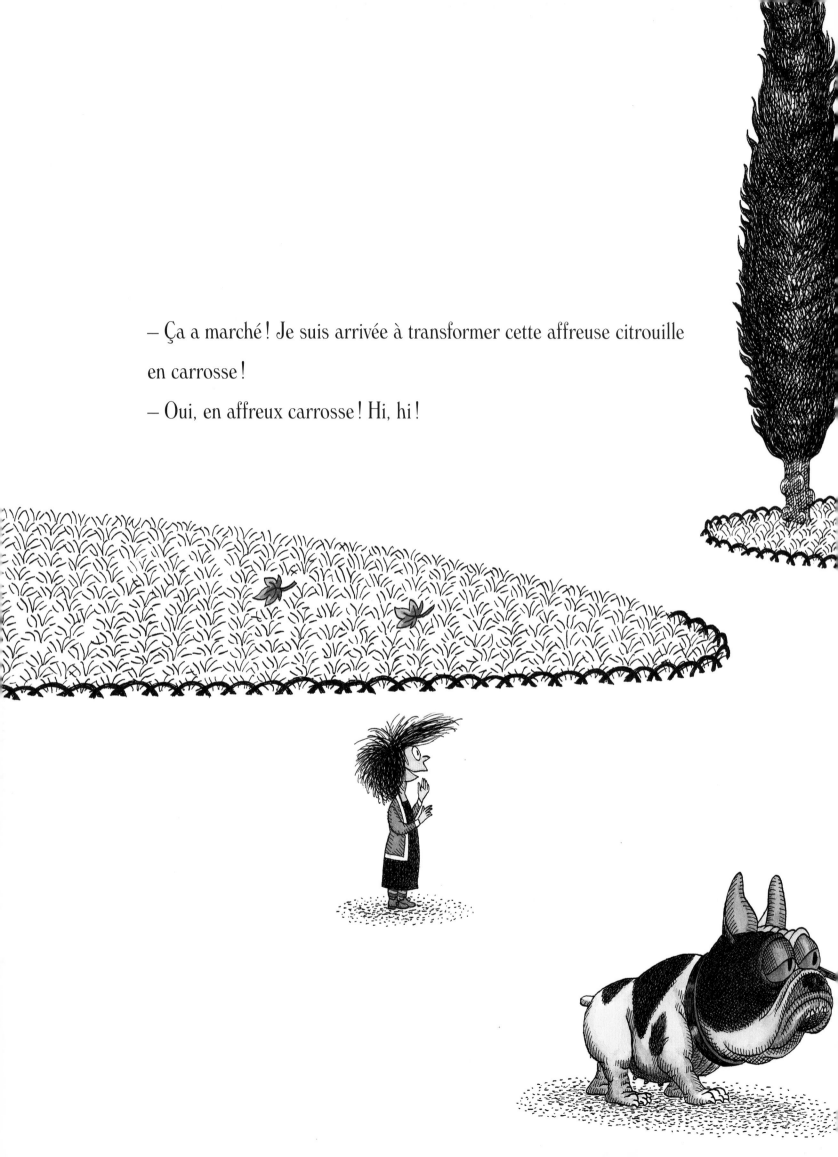

– Ça a marché ! Je suis arrivée à transformer cette affreuse citrouille en carrosse !

– Oui, en affreux carrosse ! Hi, hi !

– C'est vrai qu'il n'est pas joli-joli, mon carrosse.

Je manque d'entraînement, voilà tout !

Sois bien attentive maintenant, Hortense ! Tu vois ces pigeons crasseux

et poussiéreux ?

Je vais en faire un élégant et non moins splendide attelage pour mon carrosse !

Abracadabra !...

– Flûte et crotte de bique à ressort ! Regarde, Hortense,

des gnomes géants ! Ce n'est pas du tout ce que j'avais imaginé !

– Élégant !... Splendide !... Hi, hi, hi !

– Il n'y a pas à tortiller, cette baguette est détraquée !

– Hi, hi !

– Mais qu'est-ce qui leur prend ? Ils montent dans le carrosse !

Ils sont complètement maboules !

– Hi, hi ! Ha, ha !

– Revenez ici, je vous ordonne de m'obéir ! Au pied !

– Ha, ha, ha !

– Ha, ha ! Hi, hi ! Ha, ha !

– Arrête de rire comme ça, Hortense ! Ça suffit !

Je te rappelle que je suis la puissante fée Margot !

Tiens, je te transforme en crapaud, ça t'apprendra à te moquer de moi !

Abracadabra !...

– Ouuaah ! Ha, ha, ha, ha !

– Cooââ !

– Oh, Hortense ! Pardon, mille fois pardon ! J'étais en colère, très en colère !

Je vais tout arranger, tu vas voir ! Un nouveau coup de baguette

et hop, tout va rentrer dans l'ordre.

Crapaud ! Je veux que tu redeviennes Hortense !

Abracadabra !...

– Cooââ !

– Rien ne se passe ! C'est terrible !

Que vont dire tes parents quand ils sauront que tu es devenue un crapaud ?

Aïe, aïe, aïe ! Je vais me faire mégaterriblement gronder !

Et tout ça à cause de cette satanée fichue baguette !

J'en ai assez de cette baguette qui n'obéit jamais ! Tiens !

Tiens !

Mais je suis folle ! À présent que la baguette est détruite,
tout espoir de te retrouver est perdu ! Pauvre Hortense !

– Il est arrivé un accident terrible, madame ! C'est Hortense !

On était en train de jouer ensemble quand, soudain,

je l'ai euuuh... transformée en crapaud !

– Hortense devenue crapaud ? Inutile de te tracasser pour si peu !

Ça suffit, Hortense ! Cesse d'embêter ton amie !

– Hi, hi ! Je t'ai bien eue, n'est-ce pas, Margot ?

– Tu sais, maman, Margot et moi, on a bien rigolé cet après-midi ! Pas vrai, Margot ?